Franz Hohler
Vom richtigen Gebrauch d

Franz Hohler

Vom richtigen Gebrauch der Zeit

Gedichte

Sammlung Luchterhand

Vom richtigen Gebrauch der Zeit

Ich habe dich
heute morgen
nicht zum Bahnhof begleitet
ich hatte soviel zu tun
und brauchte sie dringend
die halbe Stunde.

Doch kaum warst du weg
saß ich da
und war
eine ganze Stunde lang traurig.

Solaruhren

Deine Uhr
neben meiner Uhr
auf dem Fenstersims
in der Vormittagssonne.

Gemeinsam
trinken sie Licht
damit sie stets
ihre Pflicht erfüllen können
uns anzuzeigen
wie wir langsam
zusammen älter werden
du und ich.

Letzter Zug

Wieso hält denn
der Zug
an jeder Station
wo kein Mensch mehr aussteigt
geschweige denn ein?

Weiß er denn nicht
wie dringend
ich heim muß
zu dir

und wie sehr ich hoffe
du seiest noch wach
wenn ich komme
und wartest auf mich?

Endspiel

für Adam und Eva

Was aber
wenn dich auf einmal
der, den du liebtest
verläßt
um einen anderen Menschen zu lieben?

Dann werden
die Weltkatastrophen
lautlos weggeschoben
wie Opernkulissen
und auf der leeren, dunklen Bühne
steht niemand
nur du allein.

Der Zettel

Oha
dachte ich
als ich heimkam
nachts
und am Boden
den hellen Flecken sah
da liegt
eine Nachricht für mich
auf der Treppe.

Doch sieh da
es war nur
das Mondlicht.

Und

fiel mir später ein
ist das etwa
keine Nachricht?

Sweety

In Indien
ist ein Kind gestorben.

Wie groß ist Indien
wie viele sterben dort täglich
Junge und Alte.

Doch gestern
ist dort ein Kind gestorben
ich kenne den Vater
der es liebte.

Er schickte ein Telegramm
für den Lohn von Tagen
um seine Trauer
zu uns zu bringen.

»Sweety passed away on 12th of march.«

Und auf einmal
ist ganz Indien
nur noch ein Vater
der seine Tochter beklagt
und liegt
gleich nebenan

wie das Nachbarhaus
wo gestern
ein Kind geboren wurde.

Ich kenne den Vater
der es soeben
zu lieben beginnt.

Tamar

Das Erschrecken
beim flüchtigen Blick in die Todesanzeigen
dann der Gedanke
das darf doch nicht wahr sein
zeitgleich fast
mit der Einsicht
daß es so ist
und daß es sogar
so kommen mußte.

Immer
hat sie Menschen gesucht
die ihre Besorgnis teilen
über das Ungeheure
das ein- und ausgeht
als wär es normal
die gefrornen Gefühle
die Gleichgültigkeit
gegen Leid
das wir fremdes nennen
damit es kein eigenes wird.

Das ertrug sie nicht mehr
ihre Haut war zu zart
ihr Körper zu schmal
ihr Herz zu groß
und sie starb
als Kriegsopfer
unseres Alltags
zu Tode verletzt
durch das Leben.

Phantomschmerz

Andrei Kirsanow
lese ich
ein Russe
20 Jahre jung
verlor
als er Soldat war
im Krieg mit den Afghanern
beide Beine.

Noch immer
liegt er im Spital
und träumt
wenn er nicht stöhnt vor Schmerz
von einem Stücklein Land
auf dem er gärtnern möchte.
Blumen will er ziehen
die sehr selten sind
am liebsten solche
die's noch gar nicht gibt
und ihre Samen
in alle Welt verschicken
als Zeichen einer neuen Zeit.

Ach Andrei
hätte ich ein Stücklein Land
dort
wo du lebst
ich würd's dir schenken
und wüßte auch
ein paar Adressen hier
für deine Briefe
mit den Wunderkeimen.

Ach Andrei
geh nicht unter
hilf auch uns
von Blumen nicht erst dann zu träumen
wenn es schon zu spät ist!

Die Selbstgerechten

Und als der Irak
Kuweit überfiel –
habt ihr da auch demonstriert?

So fragen uns die
die selber nie demonstrieren

und falten die Hände
über den Bäuchen.

Bitte an den Kameramann

Könntest du
Kameramann
das nächstemal
wenn du den Hunger filmst
und auf die Fliegen zoomst
an den Augen des äthiopischen Kindes
könntest du dann
deine Kamera sinken lassen
und statt dessen
die Fliegen vertreiben?

Danke.

Nach-Ruf

auf Niklaus Meienberg, † 24. 9. 1993

Lieber, böser Niklaus
nun sprechen und schreiben sie alle von dir
im Imperfekt
er war, er wurde
er schrieb, er lebte
er ging
so schnell paßt sich Sprache
der Wirklichkeit an
und die Wirklichkeit sagt
seit Freitag, 16 Uhr
immer wieder dasselbe:
Selbstmord.
Und ich sitze da
und kann es
noch immer nicht glauben
obwohl du selbst
mir davon gesprochen hast
im Sommer
als dich die Liebe verließ
und dein harter Schädel
nach deinem Unfall
langsam wieder
zu schaffen begann
und dein weiches Herz
erbleichte vor Leere.
Auch Selbstmord
ist Mord.
Was brachte dich um
oder wer?
Die Gesellschaft

gegen welche du anschriebst
die schweigende Mehrheit
welche dich haßte
oder am Ende wir alle?
Die Freunde noch mehr als die Feinde?
Täuschen ließen wir uns
durch den Hünen Meienberg
zu wenig spürten wir
daß du auf nichts
so dringend gewartet hast
wie auf die Frage:
Wie geht es dir?
Verwundet gingst du
durch Örlikon-City
mit dem Traum von Paris im Kopf
dem enttäuschten
denn auch Paris
wird immer mehr
Züri-Nord
so les ich's im ersten Kapitel
von »Zunder«
dem letzten Buch von dir
das nun das letzte bleiben wird
und als du es vorige Woche
bei mir vorbeigebracht hast
da hab ich noch nicht gewußt
daß das dein Alterswerk ist
denn ich habe auch künftig gerechnet mit dir
deinem starken Blick
für die Schwächen der Zeit
deiner Wißbegier
deinem Sinn für Gerechtes und Ungerechtes
für Lügen und Wahrheit
und vor allem hab ich gerechnet

mit deiner farbigen, blühenden, blitzenden
fröhlichen, traurigen, knirschenden
Sprache
die ein Protest war
– ist! –
gegen Langeweile des Denkens und Lebens
gegen gens de toutes sortes
qui n'égalent pas leur destins
wie du in deiner eigenen Todesanzeige
zitierst
gegen Leute jeglicher Art
die ihr Schicksal nicht wert sind.
Du wolltest das deine selber bestimmen
davor ist Respekt am Platz
doch erlaube mir auch
zu trauern
um dich
denn du warst ein Freund
und als wir vor ein paar Tagen
zusammen am Örliker Bahnhof standen
und spotteten über das Minishopville
das unter den Gleisen entsteht
und als du dann deine Hand hobst
zum Abschied
und in der Unterführung verschwandest
warum hab ich dir da nicht nachgerufen:
Lieber Niklaus
bleib noch ein bißchen!
Auf unsern Tischen
steht Brot und Wein für dich!
Wir alle würden dich sehr vermissen
wenn du jetzt schon gingest
schon jetzt!

Frage und Antwort

Was kann man
gegen die Trauer tun?

Eigentlich nichts

außer trauern.

Spruch

Ganz der alte
sagen die Leute
wenn einer so ist
wie er als jung war.

Schadenmeldung

Wegen des Streiks
in Deutschland
wurden sämtliche 800 Flüge
von und nach Frankfurt
annulliert.
Der angerichtete Schaden
für die Gesellschaften
so ist zu hören
bewege sich
in Millionenhöhe.

Wie hoch ist denn wohl
der Schaden
an einem Tag
an welchem sie fliegen
die 800 Vögel?

Nachtrag zu den Starenbäumen

Was die zwei
dienstags gefällten
Scheinzypressen betrifft
im Zentrum Örlikons

ihr kennt sie vielleicht
die Bäume
auf welchen sich jeweils
die Stare zum Abflug versammeln

so kann ich euch
nach Gesprächen mit allen Beteiligten
sagen:

Niemand kann etwas dafür
alle handelten nur
im Auftrag
oder weil es nicht anders ging
und es war auf jeden Fall
die vernünftigste Lösung.

Ich werd es
im Herbst
den Staren erklären.

Hohe Gäste

Heute waren
in meinem Garten
drei Prinzen zu Besuch.

Sie saßen
auf den Büschen
vor meinem Fenster.

Ihre durch und durch weißen Gewänder
zeigten an
sie kommen aus einem
fernen Land
und verlangen
nach würdigem Empfang.

Doch
als ich
das Fenster öffnete
und ihnen zurief
sie sollten
das Beste picken
was Busch und Baum
zu bieten hätten

flogen sie
scheu und lautlos davon
und kamen
nicht mehr zurück.

Woher kommen die Träume?

Wenn du unruhig bist
aus der Ruhe.
Wenn du ruhig bist
aus der Unruhe.
Wenn du frierst
aus der Hitze.
Wenn du schwitzt
aus der Kälte.

Aber immer
bringen sie dir
eine Nachricht
aus den abgelegenen Provinzen
deines Reichs.

Und wenn du noch nichts
begreifst

sie wissen schon alles.

Dichters Ernährung

Er sei
schrieb Rilke
Rainer Maria
an eine der zahllosen Gräfinnen
über die letzte Zeit seines Lebens
so intensiv
über seinen Gedichten gesessen
daß er gar nicht mehr wisse
wie er ernährt worden sei.

Seine Haushälterin
Fräulein Frieda Baumgartner
aus Balsthal
wußte dies
darauf angesprochen
allerdings sehr genau.

Er habe
so sagte sie
immer verlangt
daß das Essen
pünktlich um 12 und 7 bereit sei
und nie sei sie in Verzug gewesen damit
und auch der Herr Rilke
sei nur einmal
5 Minuten zu spät
zum Essen erschienen
jawohl.

Wäre ich Richter
und die Frage bedeutungsvoll
für das Finden der Wahrheit
ich glaubte sofort
der Frieda von Balsthal.

Beda Venerabilis

Das Leben des Menschen
ist wie ein Vogel
der aus stürmischer Winternacht
sich verirrt
in ein hell erleuchtetes Haus
sich dort für ein kleines wärmt
und alsdann weiterflattert
ins Dunkel.

Das dachte sich Beda
die Stirn in die Hand gesenkt
eines Nachts
in der Klosterzelle von Jarrow
vor tausendzweihundert Jahren

und uns
die wir ratlos stehen
am Fluß der Jahrhunderte
uns wird zumute
als rief uns
vom totgeglaubten anderen Ufer
deutlich und hell
eine menschliche Stimme.

Signal

Auf der Fluh
steht einer
und schwingt
eine Fackel

hin und her
daß die Nacht
sich erhellt
für flüchtige Zeit
mit Funken von Rot.

Die Fackel bin ich.
Der sie schwingt
ist der Tod

Abend, hoch oben

Die Birken sammeln das letzte Licht
die Felsen schimmern fahl
die Häuser verlieren ihr Gewicht
der Himmel sinkt ins Tal.

Der Bach folgt seinem alten Lauf
von weit ein Glockenschlag
ein Flugzeug schlitzt die Dämm'rung auf
dann stirbt auch dieser Tag.

Wie kalt und klein die Sterne sind
wie groß der Eichenbaum
er rauscht im dunklen Abendwind
als hätt er einen Traum.

Alp im Tessin

Zwei Sensen lehnen am Haus
und drehn sich den Rücken zu
die Arbeit des Tages ist aus
vom Tal herauf kriecht die Ruh.

Ein Tisch im gemähten Gras
die Teller und Krüge sind leer
den Wein im letzten Glas
trinkt heute niemand mehr.

Die Wärme strahlt von den Steinen
ein Nachtkauz ruft von weit
der Wind an unsern Beinen
ist wie ein Sommerkleid.

Herbstmorgen

Drei Schwäne fliegen über den See
berühren das Wasser kaum
auf den Gipfeln der Berge frischer Schnee
am Ufer ein roter Baum.

Zwei Pferde fressen das letzte Gras
hinter dem hölzernen Zaun
sie reiben die Hälse wie zum Spaß
die Wiesen sind gelb und braun.

Eine Krähe hockt im Stoppelfeld
sie schreit und schreit und schreit
ein Güterzug rumpelt ans Ende der Welt
und der Himmel ist blaß und weit.

5. Februar

Die Erde träumte heute Nacht
den Traum vom großen Schnee
nur langsam ist sie aufgewacht
verwirrt vom Kuß der Fee.

Die Häuser sind sich selber fremd
die Straßen machen schlapp
der Bahnhof steht im Sonntagshemd
als reise er gleich ab.

Ein Schneepflug kratzt und kreischt empört
und bleibt auf einmal stehn
das Nützliche ist ganz verstört
was häßlich ist, wird schön.

Ein Kind trägt einen weißen Trumm
wie ein Geschenk im Arm
die Flocken wirbeln still herum
als gäben sie uns warm.

Höhenflug

Leicht will ich werden
Liebste
federleicht
dann kann ich dich
fliegen lassen
und wir werden beide
unsere eigenen Kreise ziehn
wie zwei Adler
hoch überm Dunst der Täler
und kehren doch zurück
zum anderen
wenn es Abend wird.

Sommerzeit

Die Tage
werden wieder
länger

ohne dich.

Ende September

Zu klaren Wassern
will ich gehen

Herbstberge
will ich besteigen

Ozeane überfliegen

und wilde Hunde
streicheln.

Das Unvermeidliche

Am Tage
meines Todes

werden Vögel
über Bäume fliegen

das Wasser des Sees
wird am Ufer plätschern

und Leitungsmasten
werden Strom
aus den Bergen in die Ebenen tragen

wie jetzt.

Trauer

Meine Schwester
ist gestorben.

Heute Nacht
zwischen drei und vier
hat mich die Nachricht erreicht
und ich saß
eine Weile wach
bis ich merkte
ich habe ja gar keine Schwester.

War ich deshalb
bis weit in den Morgen hinein
so traurig?

Amselfeld

Wieder sehen wir
Videospiele am Bildschirm
Fadenkreuze
und gleich darauf einen Treffer
als würde
mit Laserstrahlen
auf Geschwüre geschossen
und das Gewebe ringsum
bliebe unverletzt.

Es geht
so sagt uns die Sprache des Krieges
um Luftüberlegenheit
und auf den eingeblendeten Karten
markieren die Pfeile von Westen
die leisen Einfallswege
von Tarnkappenbombern
und Marschflugkörpern.

Diese sollen
so sagen die Friedensfreunde von gestern
das Morden und Brennen beenden.
»Wir hatten«, sagen sie
»keine andere Wahl«
und setzen sämtliche Mittel ein
die man braucht
für einen heutigen Krieg
jedoch sie vergaßen:
Hier findet ein Krieg von früher statt.

Den Anwalt holen sie nachts
mitsamt seinen Söhnen
aus dem Haus

Politiker, Lehrer, Medienleute
wer immer beiträgt
zum Gedächtnis des Volkes
in der Provinz
die den Namen der Amsel trägt
wird gejagt
bis er schweigt
für immer.

Und fassungslos
flüchten mit kleinen Kindern die Frauen
beraubt ihrer Söhne und Männer
in die übervölkerten Armenhäuser
der Nachbarländer.

Auch diese Bilder
sehen wir nicht zum erstenmal
und wir fragen beklommen
was denn die
die zum Handeln verdammt sind
wirklich machen könnten
zum Schutze der Menschen?

Wir
die Friedensfreunde von gestern
rollen die weißen Fahnen ein
senken die Köpfe
und müssen uns eingestehen:
Nichts.

Ratlos sind wir
verstört und wütend
und bald schon
reif
für den Krieg.

Für Bruno, wo immer er ist

»Manser ist tot«
so lese ich in der Zeitung
und gleich darunter
dein Bild
dein lebendiger Blick
diese Mischung aus Skepsis und Hoffnung

Ist das möglich
Bruno
daß deine Augen erloschen sind
und daß dein Mund
welcher Wörter und Blasrohr
gleichermaßen beherrschte
sich nicht mehr öffnet?

Wer hat ihn
zum Schweigen gebracht?
Die Kopfgeldjäger der Kettensägen?

Oder hast du dich einfach
zu weit vorgewagt
zu der großen Göttin Natur
so daß sie dich plötzlich
in ihre grünen Arme schloß
und sagte:
Jetzt bleibst du bei mir
ich gebe dich nicht mehr zurück.

Dann wärest du jetzt
schon ganz und gar
von Palmenblättern bedeckt
ein gefallener Stamm

unter Moosen, Lianen und Farnen
nur ab und zu berührt
von den leichten Pfoten
der Kletteraffen
oder gestreift vom schillernden Leib einer Python
und langsam ließen sich
hängende Orchideen
über dir nieder
und manchmal hielte
ein Zwergkauz auf dir Rast
und flöge dann weiter
mit seinem Ruf
den du nachahmen konntest
»kuk – kukuk«
die letzten wilden Wälder durchmessend
die du für ihn
erhalten wolltest
und in denen du bleiben wirst
tot vielleicht
aber immer lebendig
für uns.

Am 23. Mai 2000 schrieb Bruno Manser aus einem Versteck in Malaysia einen Brief an seine Freundin in der Schweiz. Es war sein letztes Lebenszeichen. Er war unterwegs zu seinen Freunden, dem Urwaldvolk der Penan, bei denen er 7 Jahre gelebt hatte und die er im Kampf gegen die Abholzung des Urwalds unterstützte. Dies trug ihm ein Einreiseverbot der dortigen Regierung ein, und die Holzgesellschaften setzten ein Kopfgeld auf seine Ergreifung aus. Mehrere Suchaktionen blieben erfolglos, und am 10. März 2005 erklärte ihn das Zivilgericht des Kantons Basel-Stadt für verschollen.

Marx' Brother

zum Tod von Carl Barks

Ich hatte als Kind
die Geschichte verschlungen
vom steinreichen Dagobert Duck
der sein Geld
das er nirgends mehr horten konnte
ausgeben wollte
und mit seinem Neffen Donald
und Tick, Trick und Track
durch's Land fuhr
und
seinen furchtbaren Geiz überwindend
die teuersten Autos kaufte
nur in den besten Hotels logierte
die kostbarsten Speisen bestellte
kurz, sich das beste vom besten gönnte
und schließlich
als er völlig geschafft
nach Hause kam
das ganze Geld wieder eintreffen sah
weil alle Geschäfte, Hotels und Fabriken
bei denen er Kunde war
ihm selber gehörten.

Da ich diese Geschichte
erfunden vom Zeichner Carl Barks
nicht vergaß
kam mir später ein anderes Werk
erstaunlich bekannt vor:
»Das Kapital«
vom Nationalökonomen Karl Marx

denn sein lächelnder später Verwandter
hatte mich längst darauf vorbereitet
daß Entenhausen
nicht nur ein Kinder- und Märchenort ist
mit sprechendem Federvieh

sondern die Welt.

Monique

Zwischen Kuprijanow und Lang
in meiner Adreßkartei
dein Kärtchen
Monique
das ich nicht wegnehmen kann

und deine Nummer

warum hab ich sie nicht mehr gewählt
als ich wußte
wie krank du warst?

Klage um Abraham S.

Noch als sie es mir
am Telefon erzählte
kamen der Frau die Tränen
55 Jahre danach.

Sie und ihr Mann
hätten damals oft
einen jungen Studenten aus Wien
zu sich eingeladen.
Als Flüchtling
war er zum Landdienst
eingezogen worden bei uns
seine ganze Familie
war schon verhaftet
und deportiert
nur ihm
war die Flucht gelungen
ins freie Land.

Doch dann wurde er
an die Grenze gestellt
zum besetzten Frankreich
von unsern Behörden
mitten im Krieg.

Und das
das habe sie nie vergessen können
sagt mir die Frau.

Nicht vergessen will auch ich
Abraham S.
wie er

bleich vor Furcht
den Zug in den Tod besteigt
von niemand begleitet
der ihm vertraut ist.

Selbst die Trauer um ihn
bekam Landesverweis
jahrzehntelang.

Laßt eine Kerze brennen
zu seinem Gedenken

und schaut euch um
vielleicht
steht er schon wieder da
mit anderem Namen
in anderer Haut
und anderen Kleidern

doch mit derselben Furcht.

Kaplan Cornelius Koch –
l'abonné ne peut pas être atteint

Es wird also keiner
der Briefe mehr kommen
welche uns immer ein bißchen lästig waren
weil wir schon vor dem Öffnen
wußten
was drinstand:
das Elend der Welt
von Chiapas bis Chiasso
Beilage
1 Petition
und wenn man nicht gleich unterschrieb
war alles verloren.

Er ertrug nicht
das, woran wir uns langsam gewöhnten:
Menschen an Gitterzäunen
vor dem gelobten Land.

Nie war irgendetwas
von dem, was er wollte
beliebt
denn gegen die Armut sind alle
nur für die Armen fast niemand.

Er war unser schlechtes Gewissen
und nun
da sein Anrufbeantworter schweigt
und sein Fax keine Antwort mehr gibt
nun zählen wir nochmals die Aufrufe
welche wir nicht unterstützten
weil es so anstrengend ist
im Hauptberuf Mensch zu sein.

Psalm 1

Der Fromme und der Gottlose

Wohl dem Manne,
der nicht wandelt
im Rate der Gottlosen,
noch tritt auf den Weg
der Sünder,
noch sitzt im Kreise der Spötter,
sondern seine Lust hat am Gesetz des Herrn
und über sein Gesetz sinnt
Tag und Nacht.
Der ist wie ein Baum,
gepflanzt an Wasserbächen,
der seine Frucht bringt zu seiner Zeit
und dessen Blätter nicht verwelken,
und alles, was er tut, gerät ihm wohl.
Nicht so die Gottlosen;
sondern sie sind wie die Spreu,
die der Wind verweht.
Darum werden die Gottlosen
nicht bestehen im Gericht,
noch die Sünder in der Gemeinde
der Gerechten.
Denn der Herr kennt den Weg
der Gerechten;
aber der Gottlosen Weg
führt ins Verderben.

Kleine Korrektur zum 1. Psalm

Wohl dem
der nicht tuschelt
im Kreise der Lobby
noch geht
mit den Maklern
sondern der sitzt
auf der Bank der Spötter
und dem Gelächter preisgibt
die Hascher nach Vorteil
und der nachsinnt
dem sanften Gesetz des Lebens
Tag und Nacht.
Der ist wie ein Baum
gepflanzt an Wasserbächen
der blühet
ohne zu wissen
ob er auch Früchte hervorbringt
und dessen Blätter
getrost verwelken im Herbst
und wieder sprießen im Frühjahr.
Nicht so
die Diener der Kaufkraft.
Sie sind wie der Auspuff
welcher die Luft verdunkelt
und das Gesetz des Lebens
verhöhnt.
Die das Gesetz bewachen
der Herr, die Frau und das Kind
sie kennen den Baum
und setzen sich manchmal darunter
und während im Börsensaal
zu den schrillen Rufen der Händler

die Kurse steigen
betrachten sie still
das Blatt
das ins Wasser fällt
und dem Lauf des Baches folgt.

Der 137. Psalm

An den Strömen Babels
da saßen wir und weinten.
An die Weiden im Lande
hängten wir unsere Harfen
und unsere Lieder erstarben uns
auf der Zunge
da wir die Türme stürzen sahen
im fernen Land.

Wir hätten den Menschen
die sie mit sich
in Tod und Verwüstung rissen
von Herzen gegönnt
daß sie abends
wieder nach Hause gekommen wären
an freundlich gedeckte Tische
zu denen
die ihnen lieb sind.

Wo warst du
schweigender Gott
als solches geschah?

Warum
hast du die Hoffnung
so ungleich über den Erdkreis verstreut?

Und warum
hast du die Sprachen
in denen alles, was Odem hat
deinen Namen lobt
so verschieden gemacht

daß gerade dein Name
so gänzlich andere Wesen benennt?

An den Strömen Babels
da saßen wir und weinten.
An die Weiden im Lande
hängten wir unsere Harfen
und unsere Lieder
erstarben uns auf der Zunge.

Gebet

Lieber Gott
wir kennen uns leider
nicht persönlich
Ich kenne nur
deine Boten
es sind
die Forsythienzweige
das Lächeln des Säuglings
und
der Geruch des Meeres

und gerne
bin ich bereit
mit ihnen
mich zu begnügen

denn offen gestanden
hab ich mich immer
ein bißchen gefürchtet
vor denen
die ganz weit oben sind
und es muß nicht sein
daß wir uns noch treffen.

Oder doch
vielleicht hast du
eine Sekunde Zeit für mich

dann
wenn ich einmal
aus diesem Planeten
stürze.

Wann das sein soll
und wo
lieber Gott
überlasse ich Dir.

Ostergeschichte

Die Wächter des Grabes
erschraken zu Tode
am Sonntagmorgen
als plötzlich die Erde bebte
und Dinge geschahen
jenseits des Dienstreglements.

Den Mut
ins Auge des Engels zu blicken
und in das Grab
das leer war
hatte allein
eine Prostituierte
Maria aus Magdala
sowie ihre Freundin.

Sie liefen sogleich
und erzählten den Jüngern
was sie gesehen
doch diese glaubten es nicht.

Wäre es demnach nicht richtig
das nächstemal
eine Hure als Papst zu wählen?

Männer
sind für Auferstehungen
einfach zu dumm.

Der junge Freund

Ich habe einen jungen Freund
mit dem ich gerne diskutiere
nachts vor allem
er ist gescheit und witzig
faßt, was kompliziert ist
rasch zusammen
und entlarvt, was einfach ist
als kompliziert.

Dichter ist er
und mit ihm
Metaphern, Wortwahl, Versmaß, Reime
zu besprechen
ist Genuß.

Doch kann ich
über Menschliches
genauso mit ihm reden
über Frauen, Sehnsucht
Krankheit, Sorgen, Neid und Zweifel
und wir können lachen
wie die Kinder.

Er ist schon mehr als drei Jahrzehnte
36 Jahre alt
seit jenem Abend
auf der Autobahn.

Der Berg

für Paul Fischer
vermißt in den Bündner Bergen seit 17. 7. 2004

Das Blut des großen Baches rauscht.
Der Hirt des bleichen, weißen Lichts
der Mond betritt das Tal und lauscht –
Der Berg erinnert sich an nichts.

Das Augenpaar am schwarzen Brett
die feinen Fältchen des Gesichts
was für ein Abgrund ward ihr Bett?
Der Berg erinnert sich an nichts.

Sieh! Noch erwartet dich der Weg
wie eine Zeile des Gedichts.
Fiel hier ein Stein? Brach dort ein Steg?
Der Berg erinnert sich an nichts.

Die Hoffnung fällt, bald fällt der Schnee
er wiegt die Hälfte des Gewichts.
Zart ist sie, deine weiße Fee –
Der Berg erinnert sich an nichts.

Das Leben

Eine Rose
ein Brot
eine Kerze
die Frau

und auf dem Herd
drei Kaffeekannen.

Drei Frauen

Für M.

Heute hab ich
drei Frauen getroffen.

Die erste war
schön, gescheit, belesen
und sicher im Urteil
mit ihr zu sprechen
war eine Freude, war ein Gewinn.

Die zweite war
überschattet von Kummer
gefangen im Zweifel
aus dem Vertrauen verstoßen
und weinte
unter der Last des Lebens.

Die dritte war
heiter, vergnügt und leicht
und lachte das Lachen
der jungen Mädchen.

Alle hatten dasselbe graue Haar
und alle drei
hab ich von Herzen lieb.

Vormittag

Ich hole die Äpfel aus dem Keller
ich hole die Briefe aus dem Briefkasten
ich finde einen alten Zettel im Garten
auf dem steht
»Franz und Ursula«.

Ich glaube
das wird ein guter Tag.

Im Jahre 1943

Am 13. Januar
starb in Zürich
fliehend aus dem besetzten Frankreich
die Malerin, Tänzerin, Träumerin
Sophie Täuber-Arp.
Sie heizte ein kaltes Zimmer
mit Blättern
ihres Französisch-Wörterbuches
das sie nun
nicht mehr brauchte
und vergiftete so
ihre Lungen.

Am 22. Februar
starb in München
jung, so jung
die Träumerin, Denkerin, Flugblattverteilerin
Sophie Scholl
durch das Fallbeil.
Sie hatte die Freiheit des Menschen
eingefordert in unfreier Zeit.

Am 1. März
gebar meine Mutter in Biel
ihr zweites Kind.

Ich hoffe, es haben
Zuflucht gefunden
in meiner Seele
die zwei Sophies
spielend die eine
denkend die andere

beide träumend
von Freiheit
von Schönheit
von Mut
und von Liebe.

An die deutsche Sprache

es Reedli

Oh Deutsch
das du gleichermaßen
Dichtung, Bürokratie und Wahnsinn
auszudrücken imstande bist
ich gehöre zu deinen Bewunderern
und Benutzern
und erfreue mich immer wieder an dir
deinem Wohlklang
der weiße Nebel wunderbar
und deiner Schärfe
Erkenntnis beginnt mit Erfahrung
und der unbeschränkten
Paarungsfähigkeit deiner Wörter
Häusermeer und Ölbaumzweig
doch manchmal
vermisse ich einfach
ein paar Ausdrücke
manchmal
hock i lieber ab
als daß ich mich setze
und kaue lieber am Rauft
statt an der Rinde
und ziehe Cervelats brötle
dem Grillen von Würsten vor
und prägleti Nüdeli dunke mi besser
als gebratene Nudeln
und pfludrig und pflotsch
ist nasser als matschig und Matsch
und e Göiss
sticht schärfer ins Ohr

als ein Schrei
und weni chüschele
mußt du genauer hinhören
als wenn ich flüstre
und wenn's chläfelet im Motor
dann ist das bedrohlicher
als wenn es bloß kleppert und scheppert
dann wird mir nicht angst
sondern gschmuech
und weni im Chlyne bäschele
oder em bipäpele
dann verwöhn ich ihn doppelt
und wenn er am Duume süggelet
welch ein Genuß
am Daumen saugen ist hartes Brot dagegen
wenn er mues chötzle
mues er zwar jömmerle
aber es ist nicht ganz so schlimm
wie wenn er erbricht
oder *sich* erbricht
wie Konrad Duden verlangt
und wenn er höcklet, höselet, blöterlet
oder i d Chuchi düüsselet, zechelet
und vo de Guezli schnöislet
und gigelet
frage ich mich
wo ist deine Zärtlichkeit
Deutsch
bist du willens
mit Kindern umzugehen
oder hesch der der Grind versiechet
muesch chärchle, wenn a die Chlyne dänksch
hesch Ranzepfyffe im Vokabular
und Choder und Schnuder

zwüsche de Site vom Wörterbuech
wo du streicheln und säuseln solltest
seicht's der zum Näggel us
wo die kleine Alltagsliebe gefragt ist
zu dem, was übrig bleibt
zur Schelfere oder zur Schinti
zum Bütschgi oder zum Öpfelgürpsi
ich hab den Verdacht
du bleibst im Haus
wenn's dusse hudlet und strätzt und schiffet und chuttet
und zellsch der Chlotz und der Stutz vo dim Wort-
    Schatz
die Befindlichkeit, den Reformstau, die Kaufkraft-
    sicherung
statt daß e chli giengsch go löitsche
i d Glungge go trampe
i Wald go lose, wie d Hätzle täderle
oder i d Beiz zu dene go hocke
wo d Lampe fülle
und d Wält erkläre derzue
und chifle und chäre
und der zletscht no is Gilet gränne
und jedes zweite Wort, das sie sagen
fehlt mir, oh Deutsch, du hohe Sprache
bei dir
und darum bin ich so vorsichtig
wenn ich vom Leben erzähle
und mich deiner bediene
und goh
weni mängisch würklech öppis wett säge
von den Zinnen deines Palastes
is Parterre abe
i Dialäkt
dä isch wie n es Zimmer

wo's vorne diräkt i d Matte goht
und hindenuse
uf d Gaß.

ALBERTO NESSI

Visita a M., dopo il terremoto

Odore di piedi e spaghetti.
Cannelli di plastica rossa
nella pentola sporca.
Sul calorifero il pacchetto di Dash con l'occhio aperto.

Mentre mi parla dei suoi paesi caduti
una vestita da Babbo Natale
ammicca dalla Famiglia cristiana.

Lo stereo del vicino pare qui.

I ha der M. nach em Ärdbebe bsuecht

Es schmöckt nach Füeß und Spaghetti.
Vom Schlüüchli am Hahne
tropft's ine dräckigi Pfanne.
Uf em Heizkörper s Dash-Pack mit offnigem Aug.

Är verzellt mer vo sine zämegchruttete Dörfer
und e Frau i Samichlauschleider
blinzlet mer vom'ne katholische Heftli zue.

S dunkt mi
d Stereoaalag vom Nochber
stieng zmitts i der Chuchi.

GIUSEPPE UNGARETTI

Mattina

M'illumino
d'immenso

Morge früeh

I lüüchte
vor Wyti

SALVATORE QUASIMODO

Ed è subito sera

Ognuno sta solo sul cuor della terra
trafitto da un raggio di sole:
ed è subito sera.

Und uf einisch isch's Oobe

Jede stoht ganz elei uf em Härz vo der Wält
vom Strahl vo der Sunne durbohrt:
Und uf einisch isch's Oobe.

ÉMILE NELLIGAN

Quelqu'un pleure dans le silence

Quelqu'un pleure dans le silence
      Morne des nuits d'avril;
Quelqu'un pleure la somnolence
      Longue de son exile;
Quelqu'un pleure sa douleur
        et c'est mon cœur!

Öpper briegget

Öpper briegget im Schwige
    vo truurige Früeligsnächt;
Öpper briegget, ihm goht's
    i der Frömdi so schlächt
Öpper briegget und briegget si Schmärz
    und das isch mis Härz.

MIHAI EMINESCU

La steaua

La steaua care-a răsărit
E-o cale-atât de lungă,
Ca mii de ani i-au trebuit
Luminii să ne-ajungă.

Poate de mult s-a tins în drum
În depărtări albastre,
Iar raza ei abia acum
Luci vederii noastre.

Icoana stelei ce-a murit
Încet pe cer se suie:
Era pe când nu s-a zărit,
Azi o vedem, si nu e.

Tot astfel când al nostru dor
Pieri în noapte-adâncă,
Lumina stinsului amor
Ne urmăreste încă.

Der Stärn

Zum Stärn, wo jetz am Himmel ufgoht
do isch's e wyte Wäg
sy Schyn bruucht tuusigi vo Johr
und Millione Täg.

Cha sy, är isch scho lang erlosche
e Punkt im Filigran
und isch doch erst grad bi üs acho
uf sinere blaue Bahn.

Sis Liecht, sis schöne, helle Liecht
het gstrahlt, s het's niemer gseh
erst sit er tot isch, isch es do
und lüüchtet immer meh.

Au wenn dy Sehnsucht gstorben isch
und d Liebi isch verby
denn isch doch ihre Glanz no do
und wird no by mer sy.

ANTONIO MACHADO

Dicen que el hombre ...

Dicen que el hombre no es hombre
mientras que no oye su nombre
de labios de una mujer.
Puede ser.

Si säge …

Si säge, e Ma sig ke Ma
solang er si Name nid ghört het gha
vo de Lippe vonere Frau.
Glaub i au.

Caminante

Caminante, son tus huellas
el camino, y nada más;
caminante, no hay camino:
se hace camino al andar.
Al andar se hace camino,
y al volver la vista atrás
se ve la senda que nunca
se ha de volver a pisar.
Caminante, no hay camino,
sino estelas en la mar.

Wanderer

Wanderer, nur dyni Tritt
si der Wäg, wo d nid darfsch verloh.
Wanderer, s git kei Wäg
du sälber machsch ne n im Goh.
Dört, wo du gohsch, isch der Wäg
suech rueig dyni Spur und lueg zrugg:
du gohsch nie meh über dä Stäg
du gohsch nie meh über die Brugg.
Wanderer, s git kei Wäg
nume Bäch, wo nie blybe stoh.

LUISA FAMOS

Lügl a Ramosch

Trais randulinas
Battan lur alas
Vi dal tschêl d'instà

Minchatant tremblan
Trais sumbrivas
Sülla fatschad' alba
Da ma chà

Juli z Ramosch

Drei Schwalbe
schlöh ihri Flügel
der Summerhimmel durus

Und mängisch zittre
drei Schätte
uf der wysse Wand
vo mim Huus.

ALEXANDER LOZZA

Maletgs d'Anviern

En tschiel d'en blo d'atschal sur'gl alv sa stenda;
avagna blava, vo tras'gl alv la senda.
Igl alv è tot en sbrinsligem d'argent;
angal segls mots en lev fimar agl vent.

Da gliunsch en plant da sains. Segl alv cumpara,
tot neir, scu neir reptil, en til da bara.
»Or veia,« scusalond clom'en mattatsch.
Igl pecal plagn, sa dolza en corvatsch!

Winterbilder

E blaue Himmel, drunder luter Wyss,
der Wäg e blaui Odere im Schnee.
Es Silberglänze, oben uf de Grööt
blost's Räuchli furt und glitzeret immer meh.

E Glogge lüttet, und der Hügel uf
chrüücht wie ne schwarze Wurm e Lychezug.
»Uf d Site!« rüeft e Bueb, wo chunnt cho z schlittle,
e Chräj macht syni Fäcken uf zum Flug.

ARTHUR RIMBAUD

Voyelles

A noir, E blanc, I rouge, U vert, O bleu: voyelles,
Je dirai quelque jour vos naissances latentes:
A, noir corset velu de mouches éclatantes
Qui bombinent autour des puanteurs cruelles,

Golfes d'ombre: E, candeurs des vapeurs et des tentes
Lances des glaciers fiers, rois blancs, frissons d'ombelles;
I, pourpres, sang craché, rire des lèvres belles
Dans la colère ou les ivresses pénitentes;

U, cycles, vibrements divins des mers virides,
Paix des pâtis semés d'animaux, paix des rides
Que l'alchimie imprime aux grands fronts studieux;

O, suprême Clairon plein de strideurs étranges,
Silences traversés des Mondes et des Anges,
– O l'Omega, rayon violet de Ses Yeux!

d Vokal

A schwarz, E wyss, I rot, U grüen, O blau: Vokal
irgendemol verzelli de no vo eucher Geburt
A isch zum Bispil e glänzige, flöigehoorige Gurt
wo gschlungen isch um gruusigi Gstänk, e schwarzi Qual

es Schatteloch. E – do gsehni wyssi Zält und Dämpf
und Gletscher, Holderdolde, Ritter gäge Drache
I – Purpur, usgspöizts Bluet und schöni Lippepaar, wo lache
vilicht vor Wuet, vilicht i gschämig bsoffne Chrämpf

U – das isch Fluet und Ebbe vo de Wältemeer
der Fride vonre Weid voll Chüe, und ganzi Heer
vo Alchemiste, brüetend über Silberlauge

O – das isch d Jerichotrompete vo der Rueh
wo Stärne durezieh und Ängel no derzue
O – Omega, das isch der tiefblau Glanz vo Sinen Auge.

WJATSCHESLAW KUPRIJANOW

Урок пения

человек
изобрел клетку
прежде
чем крылья

в клетках
поют крылатые
о свободе
полета

перед клетками
поют бескрылые
о справедливости
клеток

Gsangsstund

Wahrschinlech
gits Chefi
scho lenger
als Flügel

I de Chefi
singe die mit de Flügel
wie schön das es isch
chönne z flüge

Vor de Chefi
singe die ohni Flügel
wie guet das es isch
i de Chefi.

PUBLIUS AELIUS HADRIANUS

Animula

Animula vagula blandula,
hospes comesque corporis,
quae nunc abibis in loca,
pallidula, rigida, nudula,
nec ut soles dabis iocos?

d Seel

Seel, mis lustige Schätzli
mim Körper si Gast und si Gsell
was laufsch mer uf einisch dervo
so bleich und so stiif und so blutt
und ohni e Gspaß und so schnell?

Quellenangaben

Visita a M., dopo il terremoto
aus: Alberto Nessi, Mit zärtlichem Wahnsinn / Con tenera follia
(Limmat Verlag, Zürich, 1995)

Mattina
aus: Giuseppe Ungaretti, L'Allegria (Arnoldo Mondadori Editore, 1942)

Ed è subito sera
aus: The Penguin book of Italian Verse (Penguin Books, London, 1958)

Quelqu'un pleure dans le silence
aus: Émile Nelligan, Poésies complètes (Bibliothèque Québécoise, Québec, 1992)

La steaua
aus: Eminescu, Poezii/Gedichte (Editura 100 + 1 Gramar, Bucuresti, 2001)

Dicen que el hombre ...
Caminante
aus: Siete poetas españoles (Taurus Ediciones, Madrid, 1959)

Lügl a Ramosch
aus: Luisa Famos, Poesias/Gedichte (Arche Verlag, Zürich, 1995)

Maletgs d'Anviern
Pader Alexander Lozza 1880–1953 (Ediziun dall'Uniung Rumantscha da Surmeir, Riom, 1980)

Voyelles
Arthur Rimbaud, Poèmes (Librairie Gallimard, Paris, 1960)

Gesangstunde/Urok penija
Wjatscheslaw Kuprijanow, Aufforderung zum Flug (Verlag Tribüne, Berlin, 1990)

Animula
Norbert Gutermann, The Anchor book of Latin Quotations
(New York, 1966)

Inhalt

FSC

Mixed Sources

Product group from well-managed
forests and other controlled sources

Cert no. GFA-COC-1223
www.fsc.org
© 1996 Forest Stewardship Council

Verlagsgruppe Random House FSC-DEU-0100
Das FSC-zertifizierte Papier *Munken Print*
für die Sammlung Luchterhand liefert
Arctic Paper Munkedals AB, Schweden.

2. Auflage
Originalausgabe
© 2006 Luchterhand Literaturverlag, München,
in der Verlagsgruppe Random House GmbH
Gesetzt aus der Sabon von
Filmsatz Schröter GmbH, München
Druck und Einband: Clausen & Bosse, Leck
Printed in Germany
ISBN-10: 3-630-62083-3
ISBN-13: 978-3-630-62083-1

www.luchterhand-literaturverlag.de